Dirección Editorial: Raquel López Varela
Coordinación Editorial: Ana María García Alonso
Traducción: Esther Sarfatti
Maquetación: Cristina A. Rejas Manzanera
Diseño de cubierta: Darrell Smith
Ilustración: Ángeles Peinador

© EDITORIAL EVEREST, S. A.
Carretera León-A Coruña, km 5 - LEÓN
ISBN: 978-84-441-4688-1
Depósito legal: LE. 1162-2011
Printed in Spain - Impreso en España

EDITORIAL EVERGRÁFICAS, S. L.
Carretera León-A Coruña, km 5
LEÓN (España)
Atención al cliente: 902 123 400
www.everest.es

Los tres cerditos

 The Three Little Pigs

Los tres cerditos

The Three Little Pigs

Ilustrado por Ángeles Peinador

Una espléndida mañana de primavera, cerca del arroyo, nacieron tres hermosos cerditos. Durante varios meses, vivieron muy felices junto a su madre, que les cuidaba con esmero.

One lovely spring morning, three baby pigs were born near a stream. For several months, they lived happily with their mother, who took good care of them.

En cuanto se vieron fuertes y crecidos, les entraron unas ganas tremendas de recorrer mundo. Cuando se lo comunicaron a su querida mamá, ella dijo:

—El lobo es peligroso, así que será necesario construir una casita muy resistente.

—¡Por supuesto, mami! —le contestaron y comenzaron su viaje.

As soon as they had grown big and strong, they longed to travel the world.

When they told their dear mother, she said "The wolf is very dangerous. You'll have to build yourselves a sturdy house."

"Of course, Mom," they replied and then set off on their journey.

Al cabo de varios días, llegaron a un lugar maravilloso y lleno de grandes árboles, muy cerca de las altas montañas.

After a few days of walking, they came to a wonderful place surrounded by tall trees and towering mountains.

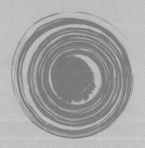

—Este es el lugar perfecto para hacer nuestras casitas —sugirió uno de los tres cerditos.

"This is the perfect place to build our houses," suggested one of the three little pigs.

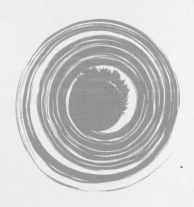

—Mi casa será de paja —dijo el más pequeño—. Terminaré muy pronto y podré ir a jugar.

"My house will be made of straw," said the youngest one. "I'll finish it very fast so I can go out and play."

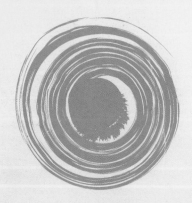

El hermano mediano decidió construir
una casa de madera.

—Puedo encontrar un montón de madera
por los alrededores —explicó a sus
hermanos—. La construiré rapidísimo con
todos estos troncos y también podré irme
a jugar.

The middle brother decided to build a
wooden house.

"I can find lots of wood in this area,"
he explained to his brothers. "I'll build it
quickly with all of these logs so I can go
out and play, too."

El cerdito mayor, que siempre había destacado por ser muy trabajador, decidió construir su casa con ladrillos.

—Aunque me cueste mucho esfuerzo, mi casa será fuerte y resistente, y dentro estaré a salvo del lobo. Además le pondré una chimenea. Mamá estará orgullosa.

The oldest pig, who had always been very hard-working, decided to build a brick house.

"Although it will take lots of hard work, my house will be strong and sturdy, and when I'm inside, I'll be safe from the wolf. Besides, I'll build a chimney. Mom will be proud of me."

Cuando las tres casitas estuvieron terminadas, los cerditos cantaban y bailaban en la puerta, felices por haber terminado de construir sus casas.

Al día siguiente, dio la casualidad de que el lobo pasó por allí. Iba tan hambriento que apenas podía ponerse derecho.

When the three little houses were finished, the three little pigs began to sing and dance by their doors, happy to have finished building.

The next day, the wolf happened to pass by. He was so hungry that he could hardly stand up straight.

La primera casita con la que se encontró fue la de paja.

—¡Ábreme, cerdito!

—¡No, no pienso abrir! —gritó el pobre cerdito atemorizado.

—Pues si no puedo entrar, ¡soplaré, soplaré y tu casa derribaré!

The first house he came across was the straw one.

"Open the door, little pig."

"No, I won't open the door!" shouted the frightened pig.

"Well, if you don't let me in, I'll huff and I'll puff and I'll blow your house down!"

Entonces se sentó sobre sus patas traseras, sopló fuertemente y toda la choza se vino abajo.

El cerdito pequeño corrió a refugiarse a la casita de madera de su hermano. Allí le contó rápidamente todo lo ocurrido.

Then he sat on his hind legs and blew so hard that the whole house came down.

The youngest pig ran to his brother's wooden house for shelter. He told him everything that had happened.

Pero el lobo no se rindió y nuevamente quiso entrar.

—¡No, no pensamos abrirte! —gritaron los dos, atemorizados.

—Pues si no puedo entrar, ¡soplaré, soplaré y la casa derribaré!

But the wolf refused to give up and insisted that the pigs let him in.

"No, we won't open the door!" the two of them shouted.

"Well, if you don't let me in, I'll huff and I'll puff and I'll blow your house down!"

Y nuevamente se sentó sobre sus patas traseras, y de un soplido la cabaña de madera se vino abajo.

Atemorizados, ambos cerditos corrieron hasta la casa de su hermano mayor.

Again, he sat on his hind legs and he blew so hard that the wooden house came down.

Terribly frightened, both little pigs ran to their older brother's house.

—¡No habrá casa que pueda con mi hambre!

—¡No, no pensamos abrirte! —gritaron los tres, muertos de miedo.

—Pues muy bien: ¡soplaré, soplaré y vuestra casa derribaré!

"No house is sturdy enough to withstand my hunger!"

"No, we won't open the door!" shouted the three little pigs, scared to death.

"Well, that's all right: I'll huff and I'll puff and I'll blow your house down!"

Pero aunque lo intentaba, la casa no se movía.

—¡Entraré por la chimenea! —gritó entonces—. ¡Ja, ja, ja!

Y empezó a trepar por la chimenea.

But, although he tried, the house would not budge.

"I'll come in through the chimney!" he shouted. "Ha, ha, ha!"

And he began to climb up the chimney.

Pero cuando se deslizó hacia abajo, cayó en el caldero donde el cerdito mayor estaba hirviendo una sopa deliciosa.

But when he slid down, he fell into the cauldron where the oldest pig was cooking some delicious soup.

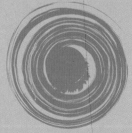

Escaldado y con el estómago vacío salió gritando que jamás volvería por allí.

Los cerditos no lo volvieron a ver.
Y desde aquel día, vivieron felices y tranquilos.

Scalded and with his stomach still empty, he ran away, shouting that he would never come back.

The three little pigs never saw him again.
From that day on, they lived happily ever after.